BA

LE PÈRE NOEL

JEAN DE BRUNHOFF

BABAR

et

LE PÈRE NOËL

Librairie Hachette

l'école des loisirs
11, rue de Sèvres à Paris 6ᵉ

Ce livre a été composé et dessiné par

Jean de Brunhoff

en octobre novembre 1936

Première édition dans la collection « lutin poche ». Septembre 1982
Copyright by Librairie Hachette 1951
Loi n° 49.956 du 16.07.1949 sur les publications destinées à la jeunesse. Septembre 1982
Dépôt légal : Mars 1988
Imprimé en France par Aubin-Imprimeur à Poitiers

« Oh ! les amis !
dit un jour le petit singe Zéphir
à Arthur, Pom, Flore et Alexandre,
écoutez la merveilleuse histoire
qu'on vient de me raconter.
Chez les hommes, tous les ans, la nuit de Noël,
un vieux monsieur très bon,
avec une grande barbe blanche
et un habit rouge à capuchon pointu,
voyage dans les airs.
Il emporte avec lui une quantité de jouets
et les donne aux petits enfants.
On l'appelle le père Noël.
C'est difficile de l'apercevoir,
car il vient par la cheminée pendant qu'on dort.
Le lendemain matin on sait qu'il est venu
parce qu'il y a des jouets dans les souliers..
Pourquoi est-ce que nous ne lui écririons pas
de venir aussi chez nous au pays des éléphants?»

Zéphir trouve qu'une bicyclette ferait bien son affaire,
Flore serait si heureuse d'avoir une poupée.
Alexandre aimerait un filet à papillons,
Pom un gros sac de bonbons et un petit ours.
Quant à Arthur son rêve est un chemin de fer.

« Bravo, la bonne idée ! dit Alexandre. — Mais
qu'est-ce qu'on va mettre dans la lettre ? dit Arthur.
— Il faut dire au père Noël ce que nous voudrions avoir,
suggère Pom. — Réfléchissons avant d'écrire, » ajoute Flore.
Tous, ils restent tranquilles un moment et pensent.

Chacun ayant trouvé ce qu'il désirait,
Zéphir qui a la plus belle écriture
est chargé d'écrire la lettre.
Il s'applique.
Arthur n'oublie pas qu'il faut coller un timbre
sur l'enveloppe.
Puis tous ils signent et, très contents,
vont ensemble mettre la lettre à la poste.

Chaque matin les cinq compères
guettent l'arrivée du facteur.
Dès qu'ils l'aperçoivent ils courent au-devant de lui,
mais hélas,
le facteur a beau chercher, il n'y a pas de réponse
du père Noël.
Un jour Babar les aperçoit et il se dit :
"Qu'ont donc ces petits ? Ils ont l'air tout triste."

Aussitôt Babar
les appelle et dit :
« Allons, les enfants,
qu'est-ce qu'il y a ? »
Zéphir lui raconte l'histoire de la lettre.
« Et vous n'avez pas de réponse? interroge Babar.
Vous avez dû oublier de mettre un timbre.
— Non, Arthur y a pensé.
— Alors, le père Noël n'a pas encore eu le temps
de répondre. Consolez-vous et allez jouer.
Vous m'avez peut-être donné une très bonne idée."
Babar sort sa pipe et la fume.
Il se promène de long en large en réfléchissant.
"Comment n'avais-je pas plutôt demandé
moi-même
au père Noël
de venir au pays
des éléphants?

Le mieux serait de
partir tout de suite
à sa recherche.
Si je lui parle
il ne refusera pas
de venir.» Sa décision prise, Babar se dépêche de
prévenir Céleste qui l'aide à faire ses bagages.
Elle aimerait bien l'accompagner,
mais Babar lui a fait remarquer
qu'il vaut mieux qu'elle reste pour gouverner
le pays en son absence et que les personnages
mystérieux se laissent rarement approcher
par plusieurs personnes à la fois.
Après un bon voyage, Babar est arrivé en Europe.
Il vient de descendre du train. Il n'a pas
emporté sa
couronne
pour qu'on ne
le reconnaisse pas.

Babar vient de se faire conduire
dans un vieux petit hôtel propre et tranquille.
On lui donne une chambre qui lui plaît.
Il se déshabille et se lave.
Après une bonne toilette on se sent mieux.
« Mais qu'est-ce donc qui fait ce petit bruit ? »
se demande-t-il en s'essuyant.
Sans bouger il regarde attentivement autour de lui
et soudain il aperçoit trois jeunes souris.
La moins timide lui dit "Bonjour, mon gros Monsieur.

Aurons-nous le plaisir de vous voir longtemps ici ?
_Oh non, je suis seulement de passage, répond Babar,
je cherche le père Noël._Vous cherchez le père Noël,
mais il est ici, dans cette maison.
Nous le connaissons bien, disent les petites souris,
nous allons vous montrer sa chambre.
_Avec joie ! Avec joie ! vraiment quelle
chance extraordinaire !
Le temps de passer une robe de chambre
et je vous suis," s'écrie Babar tout étonné.

" Mais, où donc me conduisent
ces petites souris ?" se demande Babar,
en s'arrêtant un instant
dans l'escalier pour souffler.
"Le père Noël doit habiter une chambre
tout en haut de la maison.
Sans doute il aime avoir une belle vue
et de l'espace devant lui."
Pendant que Babar se fait ces réflexions,
les trois petites souris sont arrivées au grenier
et là, dans un coin, que font-elles,
tout affairées ?
"Où êtes-vous donc ?" appelle Babar.
"Ici, au grenier, répondent les petites souris.
Venez vite, nous avons décroché le père Noël."

Quand Babar les rejoint, les petites souris
toutes contentes lui disent :
« Voilà le père Noël ! il passe toute l'année
bien tranquille ici.
Le jour de Noël seulement on vient le chercher
pour le poser au sommet
d'un arbre neuf.
La fête finie il reprend sa place
dans son coin
et nous pouvons jouer avec lui.
Mais, dit Babar, ce n'est pas celui-là
que je cherche,
c'est le vrai père Noël,
le père Noël vivant que je veux voir
et pas une poupée ! »

Le lendemain matin
Babar entend toquer à sa fenêtre.
Ce sont des moineaux qui lui disent :
"Il paraît que vous cherchez
le père Noël vivant.
Nous le connaissons très bien
et nous allons
vous conduire vers lui."
Et ils s'envolent joyeusement.
Montrant le chemin à Babar,
ils lui font traverser la rivière
sur le grand pont.
"Nous arrivons, disent-ils,
c'est toujours par ici qu'on le trouve ;
d'habitude, il couche sous les ponts."
"Tiens ! c'est drôle," pense Babar.
"Le voilà, le voilà," crient les petits
oiseaux, tous ensemble, il est là-bas

à côté du pêcheur à la ligne."
Babar descend sur le quai
et, un peu surpris par l'aspect
de ce vieux bonhomme,
le salue et lui demande :
" Pardon, Monsieur,
c'est bien vous le vrai père Noël,
celui qui distribue les jouets
aux enfants ?
-Hélas, non, répond le vieillard,
mon nom est Lazzaro Campeotti,
je suis modèle de mon métier.
Ce sont les peintres mes amis
qui m'ont surnommé
le père Noël, et maintenant
tout le monde m'appelle ainsi."
Désappointé, Babar flâne
le long des quais en réfléchissant.

Dans la boîte d'un bouquiniste
Babar a trouvé un grand livre
avec des images
représentant le père Noël.
Vite, il l'a acheté et va
le regarder dans sa chambre.
Malheureusement le texte
est imprimé dans une langue
qu'il ne connaît pas. Il fait part de son embarras
au directeur de l'hôtel qui lui donne aimablement
l'adresse d'un professeur de l'école où son fils
fait ses études :" Sûrement, dit-il, M .Gillianez
saura vous traduire votre livre."
Sans perdre de temps Babar va sonner
à la porte du professeur Gillianez.
Celui-ci le reçoit aussitôt,
mais après un regard jeté sur le livre,

déclare qu'à son grand regret
il est incapable de le lire
et lui donne l'adresse
du célèbre professeur William Jones.
Une heure plus tard
Babar est dans le cabinet
de ce dernier.
Le professeur examine le livre
avec attention, en poussant de petits grognements.
Enfin, il dit à Babar qui attendait patiemment:
« Votre livre est très difficile à lire.
Il est écrit en vieux caractères gothiques.
On y donne des détails sur la vie du père Noël
et on prétend qu'il habite en Bohême,
non loin de la petite ville de PRJMNESTWE.
Mais je ne trouve pas encore de renseignements
plus précis sur ce point. »

Babar va réfléchir sur un banc du jardin public.
Les oiseaux le reconnaissent et viennent
lui demander s'il a trouvé le père Noël.
«Oh, pas encore, répond Babar, je sais seulement
qu'il habite loin d'ici.
près de la ville de PRJMNESTWE.
Mais vraiment cette recherche est bien difficile!»
A ce moment un petit chien qui passait
dit à Babar: «Pardon, Monsieur, je suis très fort

pour retrouver les choses perdues, parce que j'ai
un odorat excessivement développé.
Si seulement je pouvais sentir la poupée
de la petite Virginie qui passe là-bas,
je saurais bien vous conduire : c'est le père Noël
qui la lui a donnée. Je serais content
d'aller avec vous parce que je suis
un petit chien abandonné. » A ces mots Babar
regarde le chien et lui dit : « Entendu, je t'emmène. »
Puis il court acheter une superbe poupée
neuve que Virginie échange volontiers
contre la sienne.
Babar fait sentir
la poupée
du père Noël
à son chien
et lui donne
un sucre.

Avant de partir, Babar a revu le savant
professeur William Jones
qui lui a rendu son livre et
lui a donné quelques indications supplémentaires.
C'est dans la forêt, sur une montagne,
à environ vingt kilomètres de la ville,
que doit habiter le père Noël.
Babar est arrivé après un voyage compliqué
à la petite ville de PRJMNESTWE

Il fait froid, il a beaucoup neigé.
Babar s'équipe en conséquence,
achète des skis,
loue un traîneau
et se fait conduire au pied
de la montagne.
Bientôt il doit quitter le traîneau
et, seul avec Duck
(c'est le nom qu'il a donné à son chien),
les skis aux pieds,
le sac lourdement chargé,
il monte vers la forêt
mystérieuse.
Duck est très excité.
Il cherche et jappe doucement.
Maintenant il lève la queue
et renifle sans bouger.
Il doit avoir reconnu
l'odeur
du père Noël

Tout à coup
Duck
part
en courant.
« Je la tiens,
je la tiens,
la bonne piste ! »
dit-il,
en aboyant
très fort,
et toute la forêt
résonne.
Mais qu'est-ce
qui remue,
maintenant,
dans cette forêt
sauvage ?

Ce sont les petits nains de la montagne
qui se cachaient derrière des troncs d'arbres.
Duck voudrait les voir de plus près, mais
ils se précipitent sur lui et le bombardent
à toute vitesse avec des boules de neige
bien tassées.
Il en reçoit
sur la tête,
sur les yeux,
sur
les flancs.

A moitié
étouffé,
à moitié
aveuglé,
la queue
basse,
il préfère
s'éloigner.
Il a couru
vite
pour rejoindre
son maître.
Il est
tout essoufflé
et penaud.
Babar s'arrête
en le voyant
et lui demande : « Eh bien! Duck, que se
passe-t-il ? » Et Duck lui raconte son aventure
avec les petits nains barbus.
« Bon! nous devons approcher,
répond Babar, je serais vraiment curieux
de faire
la connaissance
de ces
gnomes.
Conduis-moi
vers eux. »

Quelques minutes plus tard
Babar rencontre à son tour
les petits nains.
Ceux-ci essayent de l'effrayer
et courageusement se précipitent sur lui
et le bombardent,
mais Babar, tranquillement souffle sur eux.
Aussitôt, ils tombent tous les uns sur les autres
et, dès qu'ils peuvent se relever,
ils se sauvent
et disparaissent sans bruit.
Babar éclate de rire et continue à monter
derrière Duck qui a retrouvé la piste.

Les petits nains sont allés trouver
le père Noël
et lui racontent, en parlant tous à la fois
qu'un gros animal,
avec un long nez,
leur a soufflé dessus si fort
qu'il les a renversés et chassés.
Le père Noël les écoute,
très intéressé.
Les petits nains ajoutent
que, lorsqu'ils se sont sauvés, le gros animal
était tout près
et que, guidé par un vilain roquet,
il se dirigeait droit
sur la mystérieuse caverne du père Noël.

C'est vrai que Babar approche, mais
une tempête d'une violence extraordinaire éclate.
Le vent souffle si fort que la neige pique
les yeux et la peau. On ne distingue plus rien.
Babar lutte avec acharnement ; puis, voyant
qu'il est dangereux de s'obstiner à marcher,
décide de s'abriter en creusant un trou.

Ensuite il fait un toit avec un bâton,
ses skis et des blocs de neige. Maintenant
ils sont un peu à l'abri. « Quel froid,
pense Babar, et ma trompe qui commence à geler!»
Duck aussi est bien fatigué.
Soudain, Babar sent le sol céder sous lui
et disparaît avec Duck. Où sont-ils tombés?

Dans la caverne du père Noël, en passant,
sans le vouloir, par une cheminée d'aération !
« Le père Noël ! » s'écrie Babar, Duck, nous sommes arrivés ! »
Puis, il s'évanouit, épuisé de fatigue, de froid, d'émotion.
« Vite, petits nains de la montagne, oubliez votre querelle,
il faut le déshabiller et le réchauffer. » dit le père Noël.

Aussitôt tous se précipitent.
Ils le déshabillent, puis lui font une bonne friction
à l'alcool, en frottant dur avec de grandes brosses.
Le nain pharmacien lui administre un cordial.
Enfin, Babar mange une bonne soupe avec le père Noël
après l'avoir remercié de tout son cœur.

Tout en visitant la maison du père Noël,
Babar lui explique qu'il a fait tout ce chemin
pour lui demander de venir dans son royaume

1. La visite comprend : La grande pièce où se tient généralement le père Noël et où est
venu Babar par le trou qu'on voit en haut à droite ; les chambres des jouets, par exemple :
chambre des poupées, la chambre des soldats, la chambre des panoplies, la chambre des trains,

distribuer aux petits éléphants des jouets
comme aux petits enfants des hommes.
Le père Noël est très touché de cette demande,

la chambre des jeux de construction, la chambre des animaux en étoffe,
la chambre des balles et raquettes, etc... (tout cela rangé dans des cartons ou
des sacs.) et puis les dortoirs des nains, les ascenseurs à poulies et les salles des machines.

mais il dit à Babar qu'il ne pourra pas venir
au pays des éléphants la nuit de Noël
parce qu'il est très fatigué.
« J'ai eu un grand mal à assurer l'an dernier
le service régulier de distribution
de jouets à tous les enfants du monde, »
ajoute-t-il.- « Oh ! père Noël, dit Babar,
je comprends très bien, mais alors,

il faut vous soigner, prendre l'air,
quitter vos souterrains. Venez
sans tarder avec moi au pays des éléphants
vous chauffer au soleil. Vous serez reposé
et guéri pour Noël.» Séduit par cette proposition,
le père Noël recommande aux petits nains de
bien veiller à tout. Puis il part avec
Babar et Duck dans sa machine volante P.N. n°1.

Ils sont arrivés. Le père Noël admire le paysage mais déjà les éléphants accourent de tous côtés pour leur souhaiter la bienvenue.
Pom, Flore et Alexandre se dépêchent. Pour mieux voir Arthur est grimpé sur le toit d'une maison et Zéphir sur un arbre. Quand le calme est revenu la reine Céleste présente au père Noël ses trois petits enfants ainsi qu'Arthur et Zéphir.
« Ah! c'est vous qui avez écrit, dit le père Noël, je suis très heureux de vous voir et je vous promets un beau Noël. »

Souvent,
le père Noël
fait des promenades
à zèbre. Babar
l'accompagne
sur sa bicyclette.
Mais
chaque jour
le père Noël se repose deux bonnes heures au soleil,
comme le docteur Capoulosse le lui a recommandé.
Quelquefois, Pom, Flore et Alexandre viennent
le regarder quand il est étendu dans son hamac;
mais ils ne font pas de bruit
pour ne pas le déranger.

Le père Noël dit,
un jour, à Babar:
« Mon cher ami,
merci pour tout
ce que vous avez
fait pour moi,
Noël approche; il faut maintenant que je parte
pour aller distribuer aux enfants des hommes
les jouets attendus. Mais je n'oublie pas
la promesse que j'ai faite aux petits éléphants.
Savez vous ce qu'il y a dans ce sac ?
un vrai costume de père Noël,
fait à votre taille ! Un costume magique
qui vous permettra de voler dans les airs
et une hotte toujours pleine de jouets.
Vous me remplacerez la nuit de Noël
au pays des éléphants.
Je vous promets de revenir quand j'aurai fini
mon travail et d'apporter un bel arbre de Noël
à vos enfants. »

La nuit de Noël Babar fait ce que le père Noël
lui a dit. Dès qu'il a mis le costume et la barbe
il s'aperçoit qu'il devient léger et se met à voler.
« C'est vraiment extraordinaire, pense-t-il,
et bien pratique pour distribuer tous ces jouets.»

Il se dépêche pour avoir terminé avant l'aube.
Aussi le matin de Noël, dans chaque maison
quand les petits éléphants se réveillent, quelle joie!
Dans le palais royal, la reine Céleste
glisse un coup d'œil par la porte de la chambre:
Pom vide son bas; Flore berce sa poupée;
Alexandre saute dans son lit, en criant:
« Quel beau Noël! Quel beau Noël!

Arthur et Zéphir, Pom, Flore et Alexandre
n'ont jamais rien vu de plus beau
que ce sapin tout brillant de lumières.

Comme il l'avait promis le père Noël est revenu
apporter un bel arbre.
Grâce à lui la fête familiale est très réussie.

Le lendemain
le père Noël s'envole à nouveau
dans son appareil
pour rejoindre son palais souterrain
et son peuple de petits nains.
Sur les rives du grand lac
Babar, Céleste, Arthur, Zéphir
et les trois petits enfants
agitent leur mouchoir,
un peu tristes de voir partir
leur ami le père Noël.
Heureusement
il a promis de revenir chaque année
au pays des éléphants.

Fin

Mon père Jean de Brunhoff

Jean de Brunhoff est né en décembre 1899.

Son père Maurice, français d'origine balte et suédoise, était éditeur d'art. Il publia notamment la très belle revue de théâtre «Comoedia Illustré» et les programmes des ballets russes de Serge Diaghilev. Les frères de Jean devinrent aussi éditeurs: l'aîné, Jacques, prit la suite de Maurice de Brunhoff; Michel, rédacteur en chef de «Vogue» à Paris pendant de longues années, reste encore dans les mémoires comme un homme qui comprenait et aidait les artistes. Le beau-frère de Jean, Lucien Vogel, directeur de magazines de mode («La Gazette du Bon Ton», puis «Le Jardin des Modes»), créa le premier magazine d'actualités photographiées: «Vu».

Mon père était de beaucoup le plus jeune; c'était le poète de la famille. Je ne pense pas qu'il se soit jamais imaginé autrement que peintre. Ayant travaillé avec l'un des maîtres du Fauvisme, Othon Friesz, il resta cependant en marge de tous les courants d'avant-garde: cubisme, expressionnisme, surréalisme. Il n'était pas attiré par le «spectaculaire».

Jean de Brunhoff avait épousé en 1924 la fille d'un médecin, Cécile Sabouraud, ma mère. C'est elle qui fut à l'origine de Babar. Elle aimait nous raconter des histoires à mon frère et à moi – mon frère Mathieu d'un an plus jeune que moi. C'est ainsi qu'un jour elle nous raconta l'histoire d'un petit éléphant qui s'enfuit pour échapper au chasseur et arrive dans une ville; là il s'habille comme un homme, puis revient chez lui en voiture, pour être couronné roi des éléphants. Cette histoire nous plut tellement que nous la racontâmes à mon père. L'idée lui vint alors de s'amuser à en faire un livre illustré pour nous.

De cette anecdote il ne faudrait pas tirer des conclusions trop rapides: ma mère n'a pas été la collaboratrice qui invente les histoires et mon père seulement l'illustrateur. Mon père a imaginé toutes les aventures de Babar. Même dans le premier album il créa par exemple le personnage de la Vieille Dame, qui ajoute une dimension si originale à l'histoire du petit éléphant. Bien sûr il écoutait les remarques de ma mère, comme les miennes ou celles de mon frère, mais il les confrontait toujours avec sa propre sensibilité.

Ce fut lui qui trouva le nom de Babar. Il inventait des noms avec une véritable délectation, A côté de Cornélius, Céleste, Zéphir, on trouve Olur, Capoulosse, Hatchibombotar et bien d'autres.

Les frères de mon père et ses amis, enthousiasmés, poussèrent Jean à publier l'album. Lucien Vogel fut l'éditeur et le livre sortit en 1931 aux Éditions du Jardin des Modes. Le succès fut rapide. Encouragé par cet accueil et découvrant en lui-même une âme de conteur, mon père poursuivit avec passion les aventures de Babar. Dans le second album, Babar, ayant épousé Céleste, part à l'aventure (Le Voyage de Babar). Dans le troisième il construit la ville des éléphants (Le Roi Babar). Cet album marque une évolution dans l'œuvre de mon père: tous les éléphants, à l'exemple de Babar, s'habillent et se tiennent debout. On perd un peu de la poésie de la «Grande Forêt» au profit d'une gentille satire de la société des hommes.

Babar traverse les frontières: en 1933 A. A. Milne* écrit une préface à l'édition anglaise. Cette même année Babar est publié à New York. Jean de Brunhoff cependant montre son goût pour le féérique et les mythes traditionnels: c'est au pays du singe Zéphir où l'on trouve une petite sirène et des monstres qui changent en pierre ceux qui ne savent pas les faire rire. J'ai un faible pour ce livre, ainsi que pour l'A B C de Babar dans lequel les illustrations atteignent un raffinement merveilleux.

En 1934 mon frère Thierry est né: Babar aura donc trois enfants comme Jean de Brunhoff... mais non pas trois garçons, une fille Flore et ses deux frères Pom et Alexandre. Le «Babar en Famille» sera le prochain album.

Babar est devenu un personnage célèbre. En 1936 la Compagnie Générale Transatlantique demande à Jean de Brunhoff de décorer la salle à manger des enfants sur le paquebot «Normandie». Pour cette décoration mon père s'inspirera des pages de garde de ses albums: sur un fond de couleur verte de petits éléphants gris courent, dansent et jouent. Les éléphants étaient découpés dans du contreplaqué et longtemps nous en avons accrochés quelques uns sur les murs, à la maison.

* A.A. Milne est l'auteur des «Winnie the poo».

Léon Chancerel, directeur d'une compagnie de Théâtre pour Enfants demande à Jean de Brunhoff d'écrire une pièce en collaboration. C'est ainsi que l'on verra Babar «sur les planches», interprété par un acteur coiffé d'une grosse tête d'éléphant en tissu et enveloppé d'un costume vert rembourré, pour lui donner la corpulence de Babar.

A cette époque le Jardin des Modes cède les Albums Babar à la Librairie Hachette, mieux organisée pour en assurer la diffusion. En Amérique Robert K. Haas rejoint Beneth Cerf et apporte la série à Random House. En Europe, après l'Angleterre, les pays scandinaves s'intéressent à Babar.

Mais mon père, d'une santé délicate, passe en Suisse de longs mois et c'est là qu'il créera ses deux derniers albums (Babar en Famille et Babar et le Père Noël), pour paraître en feuilleton dans l'édition du dimanche du Daily Sketch à Londres, avant de mourir en octobre 1937.

Je voudrais dire que je n'ai jamais eu l'impression d'avoir un père malade, sauf pendant les derniers mois de sa vie. Les commentateurs se sont livrés souvent à des spéculations de la plus haute fantaisie. On a dit par exemple qu'il avait été séparé de sa famille et qu'il envoyait de Suisse à ses enfants les albums qu'il dessinait. C'est faux. Nous avons toujours vécu ensemble, les mois d'hiver à la montagne, les mois d'été à la campagne, entre temps à Paris. Ridicules aussi les réflexions philosophiques sur la gaité de l'artiste qui se sentait mourir. Sa gaité, le regard plein d'humour et de tendresse qu'il portait sur les hommes et les choses, c'était l'expression de sa personnalité. Il n'est pas nécessaire de l'expliquer par une réaction contre la maladie ou la conscience d'une fin prochaine.

J'avais douze ans lorsque mon père est mort et déjà j'aimais dessiner. Ses deux derniers albums (Babar en famille et Babar et le Père Noël) parus en noir dans le Daily Sketch étaient restés inachevés. La mise en couleur fut terminée sous la direction artistique de Michel de Brunhoff et, pour quelques pages, mon oncle s'adressa à moi. J'entrai ainsi dans le monde de Babar. Les deux albums furent publiés en édition posthume, puis le monde de l'édition resta en sommeil jusqu'en 1945.

A vingt ans je voulais être peintre moi-même et travaillais à Montparnasse, évoluant rapidement vers une peinture «abstraite». Cependant l'idée de faire un album Babar faisait son chemin en moi : ne plus me contenter de dessiner de petits éléphants sur des bouts de papier, mais inventer une nouvelle histoire, renouer le fil des aventures du roi des éléphants interrompues brutalement. Ce monde de Babar, je le connaissais, j'avais vécu «dedans» pendant les six années de création de mon père. Et puis j'étais un rêveur comme lui. Ainsi je m'appliquai à retrouver fidèlement son style : Babar et ce Coquin d'Arthur était publié à Paris en 1946. Babar renaissait.

Aujourd'hui j'ai dépassé depuis longtemps l'âge de mon père à sa mort. Babar est connu en Allemagne comme au Pays de Galle, en Espagne comme au Japon. L'Amérique l'a adopté. Suivant l'évolution des mœurs, Babar s'est montré à la télévision, on l'a entendu en disque, on l'a vu en poupée de peluche ; à côté des grands albums, de petits livres meilleur marché ont élargi son public.

Je n'oublie pas que Babar a été créé par mon père, mais il est aussi devenu mon personnage, avec qui je voyage dans l'île aux Oiseaux, aux État-Unis ou sur une planète inconnue. Il arrive que Babar se promène en fusée, son cousin le jeune Arthur peut circuler à moto, cependant l'univers poétique de Babar reste le même : une société libérale d'éléphants, dans une atmosphère familiale et amicale.

Bien entendu la tentation m'est venue de créer des albums sans éléphants, tels Anatole et son Ane, Serafina la girafe, Gregory et Dame-Tortue, Bonhomme, le Cochon Cornu. Ces livres ne mettent pas en scène tout un monde d'animaux mais seulement deux trois personnages, l'intérêt étant centré sur les rapports psychologiques entre eux.

J'ai écrit une vingtaine d'albums Babar et je m'amuse toujours à en écrire et en dessiner de nouveaux. Là est le secret d'un auteur de livres d'enfants : il faut s'amuser soi-même. Mêler le réel et l'imaginaire, comme le fait l'enfant, qui passe du quotidien au rêve sans y penser, car pour lui la chose dite «existe», autant que les objets et les êtres qui l'entourent.

Laurent de Brunhoff

Jean de Brunhoff (1899-1937)
Histoire de Babar
Le voyage de Babar
Le roi Babar
A B C de Babar
Les vacances de Zéphir
Babar en famille
Babar et le père Noël

Laurent de Brunhoff (1925)
Babar et ce coquin d'Arthur
Pique-nique chez Babar
Babar dans l'île aux oiseaux
La fête de Célesteville
Babar et le professeur Grifaton
Le château de Babar
Je parle anglais avec Babar
Je parle espagnol avec Babar
Je parle allemand avec Babar
Je parle italien avec Babar
Babar à New York
Babar en Amérique
L'anniversaire de Babar
Babar sur la planète molle
Babar et le Wouli-Wouli
Babar et les quatre voleurs
La petite boîte Babar

Serafina the giraffe
Serafina's lucky find
Captain Serafina
Anatole and his donkey
Bonhomme
Gregory et Dame Tortue
Bonhomme et la grosse bête
qui avait des écailles sur le dos
The one pig with horns